GW00381742

Comment
devenir parfait
en trois jours

Stephen Manes

Illustrations de Thierry Nouveau

Comment devenir parfait en trois jours

RAGEOT

ISBN 978-2-7002-3312-4
ISSN 1951-5758

Traduction : Caroline Westberg.
Cet ouvrage a paru aux États-Unis sous le titre
Be a perfect person in just three days
Éditions Houghton, Mifflin, Clarion Books – Boston.

Chapitre 1

Certaines personnes veulent devenir astronautes, garagistes, danseurs ou
plombiers.

Milo, lui, voulait devenir

PARFAIT

Tout commença à la bibliothèque.

Milo feuilletait tranquillement des albums à la recherche d'une histoire de monstres qui fasse bien peur, lorsque quelque chose lui tomba sur la tête du haut de l'étagère. Il frotta son crâne endolori pour s'assurer qu'il était toujours entier. Puis il ramassa le livre. Il fut frappé par le gros titre sur la couverture :

Il n'avait jamais rien vu ou lu de pareil.

Une photo de l'auteur figurait au dos. Le docteur Arsène K. Merlan ne correspondait absolument pas à l'image que Milo se faisait d'un docteur. Il portait :

- un pantalon à raies qui flottait et menaçait de tomber au premier mouvement,

- une chemise couverte de palmiers à laquelle manquaient deux ou trois boutons,

- un seul gant,

- un nez de clown,

- un nœud papillon à moitié défait,

- et un chapeau tyrolien bosselé avec une plume de chaque côté.

Le docteur Arsène K. Merlan mordait à belles dents dans un énorme sandwich et de la moutarde dégoulinait le long de son menton.

Il n'aurait certainement pas été en tête de votre liste, si on vous avait demandé de choisir quelqu'un pour vous apprendre à devenir parfait.

Et pourtant, peut-être à cause du coup qu'il avait reçu sur la tête et qui lui avait visiblement brouillé les idées, Milo eut l'impression que le livre avait sauté de l'étagère, l'avait empoigné et lui avait crié :

LIS-MOI !

De plus, il paraissait court. Il ne lui faudrait probablement pas longtemps pour le finir.

Milo l'ouvrit à la première page, s'appuya contre le mur et commença à lire.

CHAPITRE 1

Je sais ce que vous pensez ! Savez-vous ce que vous pensez ? Vous pensez : Comment un type aussi bizarre que ce docteur Arsène K. Merlan peut m'aider à devenir parfait ?

N'ai-je pas deviné ?

Milo acquiesça.

Peut-être ne suis-je pas aussi bête que j'en ai l'air. Après tout, n'ai-je pas deviné vos pensées profondes ?

Vous venez d'apprendre une première chose importante pour atteindre la perfection : ne vous fiez jamais aux apparences.

Vous pouvez tourner la page.

Milo obéit.

CHAPITRE 2

Qui prétend que je peux vous rendre parfait ? Moi. Moi, le fameux docteur Arsène K. Merlan, expert ès perfection. Si vous ne le croyez pas, mettez-moi à l'épreuve. Tournez encore la page. N'est-ce pas facile ?

Milo n'avait vraiment jamais lu de livre comme celui du docteur Merlan.
Il tourna la page.

CHAPITRE 3

Vous vous améliorez de minute en minute.

Très bien. Vous avez tourné la page. On peut vous faire confiance, vous obéissez aux consignes que l'on vous donne. C'est essentiel si vous désirez devenir parfait.

À présent, je vais vous expliquer ce que vous devez faire. Cela vous prendra exactement trois jours. Chaque soir, vous lirez une page de ce livre. Vous suivrez soigneusement les instructions.

À la fin du troisième jour, vous serez parfait et je pourrai vous féliciter.

TOURNEZ LA PAGE!

Mais laissez-moi vous prévenir :

IL Y A UNE CHOSE QUE VOUS N'AVEZ PAS INTÉRÊT À FAIRE.

Sous aucun prétexte vous ne devez essayer de devenir parfait en moins de trois jours. Même si vous en avez envie, ne lisez pas plus d'un chapitre chaque soir. Beaucoup de gens sont tentés de jeter un coup d'œil sur la fin du livre avant le troisième jour.

Je le répète,

RÉSISTEZ À LA TENTATION !

Milo éprouva soudain un besoin pressant de parcourir la dernière page. Il pourrait peut-être ainsi sauter des chapitres ennuyeux.

Le docteur Merlan lui jeta un regard noir du dos de l'ouvrage, mais Milo l'ignora. Il ouvrit le livre à la fin.

Mon pauvre ami, que tu es bête !

Ne t'ai-je pas dit de ne pas regarder la dernière page ? Tu désires devenir parfait, ou quoi ?

Bon, je veux bien te donner une deuxième chance.

Quand tu auras fini ce paragraphe, ferme mon livre. Un soir, lorsque tu te sentiras prêt à essayer de devenir parfait, ouvre-le en page 10. Là, tu trouveras les instructions concernant le premier jour de ton programme de perfection. À présent, ferme le livre et ne dis pas que je ne t'avais pas prévenu.

Le docteur Merlan était décidément plus malin qu'il n'en avait l'air. Milo ferma le livre.

Il décida de le rapporter chez lui car devenir parfait lui semblait une très bonne idée.

Il lui arrivait sans arrêt des accidents stupides : renverser le vase précieux de sa mère, s'asseoir sur le dernier CD de sa sœur, crever le fond du sac à provisions (où se trouvaient naturellement les œufs) en revenant du supermarché. Ou encore recevoir des livres sur la tête à la bibliothèque. Les gens parfaits n'étaient sûrement pas victimes de tels incidents.

Ce serait un changement agréable d'entendre les gens déclarer : « Milo, tu es vraiment parfait. » Sa sœur aînée, Elissa, ne pourrait plus lui répéter : « Milo, tu es vraiment idiot », ou « Arrête tes bêtises, Milo », comme c'était le cas ces derniers temps. Et ses parents n'auraient plus aucune raison de le gronder.

La perfection possédait certainement d'autres avantages auxquels il n'avait pas encore songé. Oui, il avait hâte de devenir parfait et le docteur Merlan semblait connaître son sujet.

Milo emprunta le livre. Sur le chemin du retour, il s'aperçut qu'il avait oublié de chercher une histoire de monstres, mais il ne retourna pas à la bibliothèque.

Après tout, qui sait ce que le docteur Merlan lui demanderait d'exécuter? Devenir parfait pouvait occuper la plus grande partie de son temps au cours des trois journées à venir.

Chapitre 2

parfait parfait

Milo mangea deux éclairs au chocolat, but un verre de lait et monta dans sa chambre faire ses devoirs. Il ne cessait de songer au livre du docteur Merlan. Il imaginait à quel point ce serait formidable d'être parfait.

Il serait capable de faire ce qu'il voudrait, parfaitement et du premier coup. Il jetterait toutes ses gommes à la poubelle, corrigerait la maîtresse devant la classe entière et connaîtrait toujours la bonne réponse. Il aurait 20 sur 20 dans toutes les matières. Et mieux, personne ne le gronderait plus pour quoi que ce soit. Ce serait... euh... vraiment parfait !

Il décida de lire les instructions du docteur Merlan juste après le dîner.

Bien sûr, il était encore loin d'être parfait pour le moment. Au dîner, son père lui dit de ne pas claquer ses dents contre sa cuillère en avalant sa soupe. Sa mère de ne pas manger aussi vite. Et sa sœur de garder les jambes sous sa moitié de table.

MILO ÉTAIT CARRÉMENT
À BOUT !

Ils verront bien, se dit Milo. Dans trois jours…

Il décocha un coup de pied à sa sœur sous la table. Après tout, il n'était pas nécessaire d'être parfait avant la date prévue !

Une fois le dîner terminé, Milo monta dans sa chambre et s'assit à son bureau. Il décida que, malgré son nez de clown, le docteur Arsène K. Merlan avait l'air extrêmement intelligent.

Il se demanda ce que signifiait le

K.

Avec précaution, afin de ne pas découvrir par mégarde quelque chose qu'il n'était pas censé lire, il ouvrit le livre et parcourut la biographie du docteur Merlan sur la jaquette.

Le docteur Arsène K. Merlan fait-il autorité dans le monde entier en matière de perfection? Évident mon Sherlock!

Diplômé de l'Université Fahrenheit et de l'Institut Centigrades, lorsque ses bras lui pèsent, il les laisse pendre. Son hobby préféré est de cultiver les dionées. Et il possède la seconde collection la plus importante de cure-dents divers.

Milo feuilleta l'ouvrage; sa question restait sans réponse, mais il était prêt à commencer. Il respira à fond et se mit à lire la page 10.

PREMIER JOUR

Tu peux atteindre le dernier palier sans passer par le premier.

Je sais à nouveau ce que tu penses. Tu te demandes à quoi correspond le K. de mon nom.

Eh bien, je ne te le dirai pas. Il y a beaucoup de choses plus importantes que de savoir ce que le K. signifie, et c'est la raison pour laquelle tu es ici. Ferme les yeux, compte jusqu'à 10 et ouvre-les à nouveau.

Milo obéit.

N'était-ce pas beaucoup plus édifiant que de se demander à quoi correspond le K. ?

Bien, à présent, voici les instructions pour le premier jour. Quand tu auras fini de lire ce chapitre, va chercher un poireau et attache-le à un fil de fer. Laisse-le dans ta chambre cette nuit.

Lorsque tu seras habillé demain matin, mets-le autour de ton cou et porte-le comme un collier. Ne le retire pas avant que je ne t'en donne l'autorisation.

Milo n'en croyait pas ses yeux.
Il tourna la page.

Eh bien, ne reste pas là, les yeux écarquillés !
Va chercher le poireau !
Et ne tourne plus de page.

FERME LE LIVRE
IMMÉDIATEMENT !

Milo obéit. Il posa le livre sur son bureau et contempla la photo du docteur Merlan. Le hot-dog cachait en partie l'expression du docteur, mais Milo eut le sentiment qu'il lui lançait un petit sourire narquois.

Le garçon arrêta là sa contemplation. Il lui fallait trouver un poireau.

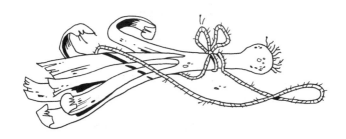

Il descendit à la cuisine et ouvrit le congélateur. Sous un tube de chantilly, derrière un paquet de crêpes fourrées « prêtes en trois minutes », il découvrit ce qu'il cherchait. « Poireaux », indiquait l'étiquette d'une boîte, « dans une délicieuse sauce blanche confectionnée à base des ingrédients chimiques les plus succulents ».

Le docteur Merlan n'avait pas parlé de sauce blanche, mais ce serait sûrement dégoûtant une fois décongelé. Milo ouvrit le réfrigérateur.

Il avait de la chance. À côté d'un sac de carottes portant l'image d'un lapin aux dents longues, il trouva une grosse botte de poireaux.

Il se demanda s'il pouvait emprunter un légume sans demander l'autorisation à quiconque.

En général ses parents lui permettaient de se servir, à son gré, dans le réfrigérateur, mais d'habitude, il s'agissait plutôt de lait, de gâteaux ou de soda. Les légumes étaient une autre affaire. Milo ne se souvenait pas avoir jamais pris un seul légume, à part des cornichons ou des olives.

Il se dit qu'il ferait mieux de demander, au cas où…

Milo se rendit dans le salon où ses parents regardaient les informations.

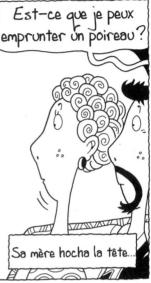

Milo ne savait pas si c'était une permission ou si elle désirait qu'il se taise pour suivre le reportage sur la guerre des gorilles au zoo, mais il décida, que dans un cas comme dans l'autre, cela n'avait pas grande importance.

Il remonta dans sa chambre avec le poireau et de la ficelle.

Il eut du mal à penser à quoi que ce fût d'autre ce soir-là. Il se demanda comment un poireau en pendentif pouvait vous aider à devenir parfait. Il fut tenté de jeter un coup d'œil dans le livre pour comprendre. Mais le docteur trouverait sûrement un moyen de le ridiculiser à nouveau, aussi ne s'en donna-t-il même pas la peine.

Peut-être était-ce un truc de plus pour atteindre la perfection, songea Milo : ne plus laisser des gens comme le docteur Arsène K. Merlan se montrer plus malins que vous.

Enfin, il connaîtrait la réponse bien assez tôt.

Peut-être…

Cette nuit-là, Milo rêva de perfection. Il trônait au sommet d'un poireau géant, un halo de lumière verte l'auréolait. Il souriait en observant tous les gens imparfaits de ce bas monde et riait de leurs erreurs. Sa sœur se cogna le pied contre le gigantesque poireau et Milo rit à gorge déployée.

Sa mère ferma la porte de sa voiture en oubliant les clefs à l'intérieur et Milo rit à perdre haleine.

Son père lâcha un sac de provisions... et Milo beugla de rire...

Il rit tellement qu'il tomba de son poireau, c'est-à-dire de son lit.

Chapitre **3**

Cette journée est presque parfaite, se dit Milo en regardant par la fenêtre le matin suivant. Lui, par contre, était loin d'avoir atteint la perfection.

Comme d'habitude, il se disputa avec sa sœur pour utiliser la salle de bains en premier, et, comme d'habitude, elle gagna.

Puis il mit la radio trop fort et ses parents lui crièrent de baisser le son.

Finalement il s'habilla. Il était temps de passer aux choses sérieuses. Il se planta devant sa glace et prit le poireau d'un air hésitant.

Le légume avait l'air plutôt mou et fatigué, en dépit de la nuit reposante qu'il avait passée dans sa chambre. Milo enfila la ficelle autour de son cou et laissa le poireau pendre contre sa poitrine. Il avait l'air complètement idiot, mais il n'osa pas rire car c'était un acte de la plus haute importance.

Il réalisa soudain qu'il allait affronter sa famille au petit déjeuner avec ce légume vert pendu à son cou. Cela ne serait pas facile.

Il traîna un moment dans sa chambre, ne sachant quoi faire.

— Milo! appela sa mère du bas de l'escalier. Dépêche-toi, tu vas encore être en retard!

Milo se contempla dans le miroir et arrangea le poireau dans tous les sens. Il essaya de le rentrer dans son sweat-shirt, mais cela faisait une grosse bosse. Personne ne manquerait de voir la protubérance, c'était sûr. Mieux valait laisser le poireau bien en vue là où chacun pouvait l'admirer.

– Milo, je compte jusqu'à trois ! Un...
deux...

Milo dévala l'escalier et traversa le salon
au pas de course.

Dès que sa sœur le vit, elle se mit à rire
si fort qu'elle recracha une bouchée de
corn-flakes sur la table. Mais ses parents
étaient trop occupés à dévisager Milo
pour la gronder.

Milo lui fit une grimace. Elle lui en retourna une encore pire.

– Pourrais-tu m'expliquer ce que tu fabriques ? s'enquit sa mère.

– Je porte un poireau autour du cou.

– C'est une nouvelle mode ou quoi ? demanda son père.

– Non, répondit Milo en essayant de trouver une explication qui convaincrait ses parents. Nous… euh… on joue une pièce à l'école sur la nutrition. Je suis l'un des légumes.

– Heureusement que tu n'es pas une pastèque ! dit sa sœur. Tu croulerais sous le poids.

– Tu es obligé de le porter au petit déjeuner ? interrogea Mme Crinkley.

– Oui, répliqua Milo. Ça m'aide à me souvenir de mes répliques…

Sa mère poussa un gros soupir.

– Milo, je compte utiliser les poireaux pour le dîner ce soir. Remets-le dans le réfrigérateur à ton retour de l'école.

– Impossible, répondit Milo qui se sentait plus stupide à chaque instant.

– Pourquoi ?

Il réfléchit de toutes ses forces.

– Parce que j'ai besoin de le porter ce soir aussi.

– Je croyais que la pièce avait lieu aujourd'hui.

– Non, aujourd'hui c'est seulement la répétition. La pièce a lieu demain.

– J'ai un frère à la tronche de poireau, commenta Elissa.

– Bien, Milo.

Mme Crinkley soupira à nouveau.

– Quand tu auras porté ce malheureux poireau une journée entière, il ne sera plus comestible. Tant pis, on finira le rutabaga ce soir.

– Du rutabaga, encore ! s'écria Elissa en tirant la langue pour marquer son dégoût.

Pour une fois, Milo aurait été plutôt d'accord avec sa sœur.

« Personne ne m'a promis qu'être parfait serait facile », songea-t-il en sortant de la maison.

Le temps était magnifique, beaucoup trop chaud pour porter un blouson. Il n'y avait aucun moyen de dissimuler le poireau, et, bien sûr, personne ne manqua de le remarquer immédiatement sur le chemin de l'école.

– Qu'est-ce que c'est que ÇA? demanda Georges, un camarade de classe de Milo.

Avec une grimace, il désigna le légume qui pendait au cou de Milo.

– J'ai une maladie terrible, dit Milo. Pour la guérir, il faut porter un poireau pendant une journée entière. Ensuite on le jette et la maladie s'envole.

– Comment s'appelle ta maladie? demanda Georges d'un ton soupçonneux.

– C'est un nom compliqué, répondit Milo. Je ne m'en souviens pas.

– Tu mens, Milo, déclara Janette. Une maladie pareille n'existe pas.

– C'est un bobard.

Georges s'avança vers Milo et bloqua le chemin.

– Donne-moi ça! ordonna-t-il.

Il voulut saisir le poireau mais Milo sauta de côté.

Généralement, Milo battait en retraite lorsque Georges le bousculait; cette fois-ci, il n'avait absolument pas peur. Georges avança de nouveau mais Milo lui échappa, en serrant le poireau contre lui comme si sa vie en dépendait. Finalement, Georges abandonna la partie, il n'avait pas l'habitude que Milo se défende.

– Milo, ce poireau est la chose la plus stupide que j'aie jamais vue, décréta Janette.

– Pourquoi? demanda Milo. Tous les gens portent des milliers de choses autour de leur cou, alors pourquoi pas des poireaux?

– Ou un chou-fleur pendant que tu y es!

Georges s'esclaffa en essayant vaguement de saisir le pendentif de Milo.

– Ou un croque-monsieur! Pourquoi pas? Parce que c'est ridicule, un point c'est tout.

– Écoute, personne ne te force à porter quoi que ce soit, répliqua Milo. Mêle-toi de tes affaires. Même si ça ne te plaît pas, fiche-moi la paix.

Georges s'éloigna en secouant la tête.

– Heureusement, je ne suis pas forcé de le manger. S'il y a un légume que je déteste, c'est bien le poireau.

Milo passa une journée plutôt embarrassante. Partout, il était le centre de l'attention.

Lorsque son institutrice lui demanda pourquoi il portait un poireau autour du cou, il expliqua que c'était sur ordre du médecin ; oui, il avait une terrible maladie ; non, il ne se souvenait plus de son nom, mais c'était censé être horriblement contagieux.

Le moment le plus délicat eut lieu pendant le cours de gymnastique, car le poireau sautait tandis qu'il exécutait les mouvements. Et puis, le légume commençait à développer une odeur désagréable et laissait des traces verdâtres sur sa chemise.

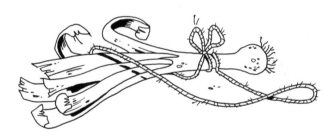

Milo se sentit néanmoins très fier de lui tout au long de l'après-midi. Pendant le dîner, il essaya d'être aussi parfait que possible, à présent qu'il était en pleine formation.

Il ignora les remarques sournoises de sa sœur Elissa sur les porteurs de poireaux ; il demanda poliment qu'on lui passe les plats au lieu de les prendre sans manière et il n'oublia pas de remercier.

– Merci ! répéta sa mère. Tu sais, Milo, je commence à penser que les poireaux exercent un pouvoir inespéré sur ton cerveau. Je crois que je vais T'OBLIGER à en porter plus régulièrement.

Milo ne répondit pas. Il se contenta de sourire de son sourire le plus parfait et découpa son rutabaga en morceaux minuscules afin de pouvoir le mâcher et le digérer au mieux.

Chapitre **4**

Après le dîner, Milo se précipita dans sa chambre et prit son livre. Il était tellement excité qu'il avait presque peur de l'ouvrir, mais le docteur avait un air qui disait :

Arrête de me dévisager et ouvre ce livre.

Aussi Milo obéit-il.

DEUXIÈME JOUR

Penses-y ! À chaque instant, tu touches d'un peu plus près la perfection !

Qu'est-ce que tu fabriques assis là avec un poireau autour du cou ? Voilà bien la chose la plus ridicule que j'aie jamais vue ! Ne songe même pas à tourner la page avant de l'avoir retiré.

> Milo était surpris de la réaction
> du docteur Merlan,
> mais il ôta le poireau avec plaisir.
> Puis il tourna la page.

Ah, ça va beaucoup mieux. Imagine un peu, aller voir un docteur aussi réputé que moi, attifé d'un poireau !

Enfin, tu dois avoir du courage et tu n'as pas peur du ridicule. Chacun sait que rien au monde n'est pire que de porter un poireau autour du cou.

Dorénavant, tu n'as plus rien à craindre. Même s'il t'arrive de mettre ton pantalon à l'envers ou si tu te retrouves avec deux chaussettes de couleurs différentes, un chapeau décoré de raisins et un bavoir, tu n'auras jamais l'air aussi ridicule qu'aujourd'hui ! Aucune situation ne t'embarrassera plus.

Félicitations ! Tu as vaincu peur et ridicule et c'est le premier pas vers la perfection.

À présent, attaque-toi à la deuxième épreuve. À partir de maintenant jusqu'à exactement la même heure demain, ne mange pas. Qu'est-ce que je veux dire ? Je veux dire, ne mange pas. Et ne bois pas, sauf de l'eau. Tu n'as le droit ni de boire ni de manger, point final. Pas de foie de veau, pas de poulpe cru, pas de crevettes nappées de chocolat, pas de glace à la pistache à la sauce napolitaine ou de pizza au jambon et à l'ananas. Rien ! Si tu triches, tu ne deviendras jamais parfait. Alors… jusqu'à demain…

RÉSISTE À TON APPÉTIT !

47

Milo regarda sa montre. Il était 7h52. Comment parviendrait-il à ne pas manger jusqu'à 7h52 le lendemain? C'était impossible. Si seulement il avait su, il aurait fait des réserves en se servant doublement au dîner. Et dire qu'il ne pourrait pas grignoter un petit quelque chose avant de se coucher! Il avait avalé son dessert à peine dix minutes auparavant, mais il était déjà affamé. Et malheureux.

Il mourait de faim, et pourtant, s'il voulait devenir parfait, il ne devait absolument rien manger. Pas même un poireau.

Bien, il était résolu à ne pas abandonner la partie. Il jeta le poireau dans la corbeille à papier et décida d'essayer de penser à autre chose qu'à son ventre. Il descendit dans le salon pour regarder la télévision.

– Hé, où est ton poireau ? demanda sa sœur.

Milo réfléchit rapidement :

– Oh, ça y est, je sais mes répliques par cœur.

– Ah oui ? Vas-y !

Milo improvisa :

– Je suis un poireau, long, vert et poilu…

– Ça suffit, l'interrompit Elissa en reportant son attention sur l'émission.

Milo tenta de s'y intéresser lui aussi, mais les publicités pour les hamburgers, les gâteaux, les sodas et les bonbons lui donnèrent encore plus faim. Il retourna dans sa chambre et mit la radio, en vain. Il essaya de lire un livre, mais, dès le premier chapitre, la famille était à table et il abandonna sa lecture.

Il finit par s'allonger et s'endormit.

NE PAS TOUCHER

Toute la nuit il rêva de gâteaux, de tartes et de côtes de porc succulentes.

Mais il n'avait pas le droit de les manger, même dans son rêve. C'était frustrant. Il ne rêva toutefois pas de poireaux.

Il avait eu son content de poireaux pour un bout de temps.

Le matin il se réveilla avec un appétit d'ogre. Il ne se disputa pas avec sa sœur pour savoir qui utiliserait la salle de bains en premier, car il se dit que les gens parfaits étaient au-dessus de détails aussi insignifiants, et de toute façon il se sentait trop faible pour se quereller. Il eut l'impression de mettre une éternité pour s'habiller.

– Milo ! cria son père. Le petit déjeuner est prêt !

– Je n'ai pas faim aujourd'hui, répondit piteusement Milo.

– Qu'est-ce qui t'arrive ? Tu es malade ?

– Non. Je n'ai pas envie de manger.

– Descends et nous verrons ça !

Milo ne voulait pas voir de la nourriture, car il avait tellement faim qu'il risquait de craquer, de grignoter un petit quelque chose et de ne pas devenir parfait. Il finit cependant par descendre.

Sa mère étalait une large cuillerée de confiture de fraises sur du pain grillé et beurré.

– Pourquoi ne veux-tu pas de petit déjeuner ? demanda-t-elle.

– Je préfère ne rien avaler ce matin, dit Milo à contrecœur.

– Il a une indigestion de poireaux depuis hier, pouffa Elissa en engouffrant la moitié d'un croissant.

– Milo, qu'est-ce qui ne va pas ? questionna son père entre deux gorgées de jus de tomate. D'abord, l'histoire du poireau et à présent un jeûne ? Tu te sens bien ?

Milo acquiesça sans conviction.

– Tu es sûr ?

Le garçon essaya de prendre un air gaillard.

– Je vais très bien, dit-il.

– Tu ne veux pas au moins un verre de jus d'orange ?

– Non, merci. Je n'ai pas faim.

– À ta guise, déclara son père. Sauter un repas ne fait jamais de mal.

Milo contempla avec envie les corn-flakes, le lait, le jus d'orange, les toasts, la confiture, le beurre et les croissants sur-gelés réchauffés.

Il essaya de ne pas trop respirer, mais l'odeur ne cessait de lui taquiner le nez.

Milo fut envahi par une bouffée de fierté à l'idée d'être capable de résister à la tentation et d'aller à l'école en n'ayant avalé que trois grands verres d'eau.

Ses camarades de classe ne cessèrent de lui demander pourquoi il n'avait pas remis son poireau aujourd'hui, et Milo leur dit qu'il était guéri et qu'il n'en avait plus besoin.

Les enfants lui donnèrent des surnoms dans le genre :

Mais à présent qu'il ne craignait plus le ridicule, ces surnoms ne le gênèrent pas. En plus, il se sentait aussi faible qu'un vrai légume à deux pattes.

Quand arriva l'heure du déjeuner, Milo mourait quasiment de faim, mais il était plus décidé que jamais à ne pas manger. Il proposa à la ronde son sandwich au beurre de cacahuète et aux crudités et il l'offrit finalement en pâture aux pigeons : personne d'autre ne voulait risquer d'attraper la drôle de maladie de Milo.

À la fontaine, Milo but pendant si longtemps que ses camarades crièrent : « Tu vas te noyer ! » à plusieurs reprises avant qu'il ne relève la tête.

Il eut du mal à tenir tout l'après-midi. Son estomac se mit à gargouiller et ne voulut plus s'arrêter ; au beau milieu de la dictée, son ventre fit des bruits épouvantables, abominables et incontrôlables.

Pendant la leçon de musique, Milo chanta faux d'un bout à l'autre. La maîtresse était assez gentille pour ignorer les gargouillements, mais les élèves ricanaient sans pitié.

Milo se contenta de les regarder d'un air qui signifiait : « Je vous avais bien dit que j'étais malade ! » et d'envoyer des messages muets à son ventre pour qu'il se tienne tranquille.

Après l'école, Milo rentra péniblement chez lui. Sa sœur dévorait un goûter composé d'une carotte et d'un verre de lait. La simple vue d'Elissa en train de manger fit pâlir Milo.

Il monta directement dans sa chambre pour s'allonger. Il ne se réveilla qu'au moment où sa sœur lui cria de descendre dîner. À moitié endormi, il répondit qu'il arrivait.

Puis il se souvint qu'il n'avait pas le droit de manger pendant encore une heure. Soudain, l'odeur de son plat préféré (le porc à la sauce aigre-douce pré-cuisiné du restaurant chinois du coin) lui parvint de la salle à manger.

– Le dîner est prêt, Milo ! cria son père. Tu es servi !

Cela sentait délicieusement bon. Milo dut faire un effort surhumain pour résister à la tentation.

– Je n'ai pas faim ! dit-il d'une petite voix.

Une minute plus tard son père faisait irruption dans sa chambre.

– Qu'est-ce que c'est que ces histoires ? demanda-t-il. Tu es malade ?

– Oui, répliqua Milo.

C'était un mensonge.

– Qu'est-ce que tu as ?

– Mon estomac gargouille comme s'il était vide.

– Mais pourquoi ne descends-tu pas le remplir ?

– Je n'ai pas envie de manger, dit Milo. J'ai peut-être la grippe. J'essaierai d'avaler quelque chose plus tard.

À ce moment, le regard de son père se posa sur le mince volume avec la photo d'un drôle de bonhomme au dos. Milo pria pour qu'il ne le feuillette pas, mais c'est exactement ce qui se passa.

– Comment devenir parfait en trois jours ! s'exclama son père. C'est le livre que tu lis en ce moment ?

Milo ne savait trop quoi répondre. Même à présent qu'il ne craignait plus rien et, en particulier, le ridicule, il se sentait un peu gêné.

– Euh, en quelque sorte…

Son père se plongea dans l'ouvrage.

– Il est dit ici que tu ne dois rien manger le deuxième jour. C'est la raison de ton jeûne ?

Milo hocha la tête sans conviction.

– Tout s'explique.

Son père rit.

– Pourquoi ne nous as-tu rien dit ?

– Je pensais que vous vous moqueriez de moi et ça n'a pas raté, marmonna Milo. Et puis je voulais devenir parfait et vous faire la surprise.

– Nous ne nous moquons pas de toi, dit M. Crinkley.

Il continua sa lecture. Il lisait très vite. Milo le regarda froncer les sourcils, plisser le nez et se gratter l'oreille tandis qu'il parcourait les différents chapitres.

Puis il referma l'ouvrage et le replaça sur le bureau.

– Tu sais, Milo, ce sera sûrement très positif d'avoir une personne parfaite au sein de la famille.

– N'en parle pas à maman, s'il te plaît. Et surtout pas à Elissa. C'est déjà assez dur, sans ses réflexions.

– Je resterai muet, promit son père. Encore combien de temps avant que tu n'atteignes la perfection ?

– Demain soir, j'espère.

– Bonne chance. Je vais dîner.

Il sortit de la chambre et descendit.

Milo resta allongé sur son lit à écouter son estomac grouiller jusqu'à 7 heures et demie. Il avait lu les dernières instructions du docteur Merlan à exactement 7 h 52 le soir précédent. Il devait donc attendre jusqu'à 7 h 53 (sa montre était toujours un peu en avance) pour découvrir ce qu'il devait faire ensuite. Milo n'avait jamais remarqué que le temps passait si lentement. Une minute semblait durer une heure. Et cinq minutes étaient aussi longues qu'une année entière. Peut-être que le temps s'écoulait moins vite quand on était presque parfait.

Les aiguilles de sa montre avançaient doucement. 7 h 50, 7 h 51, 7 h 52, 7 h 52 et 30 secondes. 45 secondes... 7 h 5... trois ! Milo attrapa le livre et l'ouvrit.

FIN DE LA DEUXIÈME JOURNÉE

Je parie que tu pourrais avaler un bœuf.

Tu as faim ? Bien sûr !

Ne mange quand même pas un bœuf. Dévore n'importe quoi d'autre et quand tu seras rassasié, tourne la page.

Milo coinça un marque-page dans le livre et descendit. Tout le monde regardait la télé.

– Je crois que je vais manger, maintenant, dit Milo.

– Trop tard, ricana Elissa. Nous avons fini le porc à la sauce aigre-douce.

– Tu te sens mieux ? demanda sa mère.

– Oui, répondit Milo. J'ai même faim.

– Je peux te préparer quelque chose si tu attends la fin des nouvelles, ajouta son père.

Milo ne pouvait patienter une minute, ni même une seconde de plus.

– Je vais me débrouiller, ne te dérange pas, dit-il.

Il se rendit dans la cuisine et se concocta un dîner excellent composé d'un sandwich à la sardine, un sandwich au beurre de cacahuète, un sandwich au jambon, une pomme, une orange, une poire et une banane, quatre parts de cake, trois gâteaux secs et deux boules énormes de glace vanille-cerise nappées de sauce au chocolat. Enfin, un morceau de tarte à la rhubarbe pour le dessert. Ce n'était pas aussi bon que le porc laqué, mais Milo apprécia chaque bouchée. Il se sentit revigoré, même si son estomac lui envoyait quelques messages de protestation aux odeurs aigres-douces.

Chapitre 5

Quand Milo remonta dans sa chambre et s'empara à nouveau du livre, il se dit que le docteur Merlan avait l'air rusé, comme s'il allait annoncer une nouvelle désagréable. Il se plongea sans attendre dans la page suivante.

TROISIÈME JOUR

Dernier pas sur le chemin de la perfection !
Je parie que c'était délicieux.

En outre, tu es plus parfait que jamais. Les gens parfaits ne mangent pas souvent. Manger donne trop d'occasions de laisser dégouliner du ketchup sur son menton ou de se tacher.

Il est bien connu que rien n'est plus difficile que de jeûner pendant vingt-quatre heures. Mais tu as passé avec succès cette épreuve. Cela prouve que tu peux faire n'importe quoi si tu le désires vraiment. C'est ce que les experts nomment « la volonté intérieure ».

Quelques esprits inférieurs appellent les propriétaires de ce trait de caractère des « têtes de mule ». Pas moi. Tu as démontré que, même si tu crois quelque chose quasi impossible comme apprendre le finnois, devenir joueur de scrabble professionnel ou fabriquer une tour Eiffel en chewing-gum, tu t'acharneras à réaliser l'impossible et tu y parviendras si tu le désires. C'est une leçon primordiale sur le chemin de la perfection.

Après l'expérience d'aujourd'hui, la dernière journée devrait être d'une facilité enfantine. Tu es prêt ?

Milo se souvint du regard rusé
du docteur Merlan.
Il eut à nouveau le sentiment qu'un
événement désagréable se préparait.
Il poursuivit sa lecture :

À ce moment précis, tu penses que je vais te demander d'exécuter quelque chose d'horriblement difficile, quelque chose que tu n'as jamais fait auparavant, que tu es incapable de réaliser, même si tu essaies de toutes tes forces.

Tu as tort. Je désire simplement que tu te rendes au zoo le plus proche et que tu ramènes un gorille adulte à la maison.

Milo laissa pendre sa mâchoire. Il n'en croyait pas ses yeux. Il tourna la page.

C'était une blague ! J'aime bien jouer des tours à mes lecteurs de temps à autre. Si tu as ramené un gorille chez toi pour de bon parce que tu n'as pas poursuivi ta lecture, excuse-moi auprès du gorille. Il est obligé de subir la présence d'idiots de ton genre. Tu n'as droit à aucune excuse en ce qui te concerne, car tu as été trop bête. Les gorilles n'ont de toute évidence rien à voir avec la perfection. Les poireaux, c'est une autre histoire.

Bon, maintenant, tu te demandes si je vais enfin en arriver au fait et te dire ce que tu es censé exécuter le dernier jour de mon programme de perfection. Eh bien, non. Je ne vais pas te donner d'instructions parce que je désire que tu ne fasses rien. C'est simple, non ?

Ne mange pas, ne dors pas, ne regarde pas la télé, n'écoute pas de musique, ne lis pas, ne tricote pas, ne joue pas aux cartes, ne claque pas des doigts, ne te cure pas le nez, ne sifflote même pas. Ne fais absolument rien pendant vingt-quatre heures. Reste assis. Songe. Détends-toi. Imagine que tu es un poireau, un légume.

À demain. Tu seras alors parfait.

P.S. : Je réalise qu'il est difficile de se mettre à ne rien faire immédiatement. Tu peux commencer par t'exercer pendant dix minutes. Les vingt-quatre heures débuteront juste après.

P.P.S. : Tu as le droit d'aller aux toilettes. De siroter du thé lentement. Et de respirer. Tout le reste est interdit.

Cela semblait idiot, mais, au moins, c'était facile. Le plus dur serait de ne pas manger ; Milo savait toutefois qu'il en était capable. Il y avait cependant un problème : le lendemain était un samedi, jour où Milo jouait au base-ball avec son équipe.

Il n'était pas très bon, mais il aimait bien ça quand même.

En général, il n'avait pas grand-chose à faire d'autre qu'à tenir sa position. L'espace d'une minute, il se demanda si le docteur Merlan considérerait cela comme ne rien faire. Mais il réfléchit que, si une balle arrivait sur lui, il devrait ou la laisser passer ou dire adieu à la perfection.

Ce serait également stupide de ne pas pouvoir se servir de la batte. Et rien que de se rendre sur le lieu du match représentait une action. Non, il ne pourrait pas participer à la partie ce jour-là.

Milo remarqua soudain qu'il tambourinait sur la table. Il s'arrêta net. Il faudrait qu'il fasse attention à des détails de ce genre. Tambouriner du bout des doigts était une action, même si elle était infime. Heureusement, la période de répétition n'était pas terminée.

Milo songea au meilleur moyen de ne rien faire. À ce moment, son père arriva. Il tendit à Milo un verre en plastique et une grande carafe remplie de liquide brunâtre.

– Qu'est-ce que c'est ? demanda Milo.

– Du thé léger. J'ai pensé que tu en aurais besoin.

– On n'a pas le droit de lire ce livre en entier, le gronda Milo. Tu as lu la fin ?

– Oui, admit son père. Je ne prétends pas être parfait, MOI. Au fait j'ai préparé un panneau « Ne pas déranger » à punaiser sur ta porte. Et j'ai dit à ta mère et à Elissa de ne pas t'importuner. À demain soir. Bonne chance.

– Merci, papa.

Son père sortit de la chambre.

Milo renifla la décoction, fit une grimace et posa la carafe par terre. À présent, il ne lui restait plus qu'à penser, se détendre et végéter. Milo était ravi à l'idée de ne pas dormir. C'était la première fois de sa vie qu'il allait veiller toute la nuit. Ça aurait été plus drôle s'il avait pu écouter la radio, mais le docteur Merlan l'avait interdit.

Milo se mit à imaginer à quel point il serait formidable d'être parfait. Il n'aurait plus besoin d'aller à l'école. Que pouvait-on apprendre à quelqu'un de parfait ? Peut-être deviendrait-il joueur de base-ball professionnel, le meilleur au monde ? Il ne commettrait jamais aucune erreur.

C'était si proche, maintenant. S'il tenait encore un jour, il serait la seule personne parfaite qu'il ait jamais rencontrée. Au bout d'environ une demi-heure, il ne lui restait guère matière à réfléchir. Lorsqu'on atteignait la perfection, tout était réglé.

Milo essaya de se concentrer sur le docteur Merlan, mais il avait déjà épuisé le sujet. Il écouta le bruit des voitures dans la rue. C'était assez amusant d'essayer de reconnaître les autos des camions et des motos pendant un moment.

Bientôt il n'y eut plus beaucoup de circulation et cela devint ennuyeux. Il écouta son ventre digérer son dîner, mais, après avoir gargouillé quelques minutes, il subit une extinction de tube digestif et émit à peine un petit bruit. Quelques gorgées de thé permirent à son estomac de retrouver sa voix qui avait toutefois tendance à répéter la même musique monotone.

Il devait y avoir d'autres choses à faire, se dit Milo. Il se souvint alors que c'était précisément ce qui lui était interdit : faire quelque chose. Il essaya de trouver des formes aux ombres sur le mur mais la seule qu'il voyait était celle de sa maîtresse, les sourcils froncés.

Il tendit à nouveau l'oreille. La télé marchait en bas, il percevait son ronron, mais ce serait peut-être tricher que d'écouter le son...

Quelqu'un se rendit à la salle de bains. Milo regarda sa montre, il n'était que 10 heures. Il avait encore une nuit entière suivie d'une longue journée à ne rien faire.

Il tenta de penser à quelque chose de nouveau. Sans succès. Il fixa sa montre. Le temps s'écoulait encore plus lentement que lorsqu'il n'avait pas le droit de manger. Il commençait à se sentir somnolent. Il aurait aimé pouvoir lire, faire une réussite, une maquette d'avion ou n'importe quoi. Il se demanda s'il parviendrait jamais à être parfait.

Puis il se souvint d'un conte indien qu'il avait lu. Pour devenir un homme, un garçon se rendait dans la forêt, nu, par la nuit la plus froide de l'année et devait retourner au village le lendemain matin avec une plume d'aigle. Ou peut-être une plume de condor? Bref, un oiseau de ce genre.

Milo se dit que si un garçon pouvait accomplir un tel exploit, il lui serait facile, à lui, de réussir à ne rien faire assez long-temps pour devenir parfait.

Il entendit sa sœur se coucher, puis ses parents. Il était probablement le seul à être éveillé dans la maison. À minuit 03, il perçut le bruit lointain d'un avion. À 1 heure moins 18, un coup de klaxon suivi de l'aboiement d'un chien en guise de réponse.

Ensuite, un calme absolu régna.

À 2 heures et des poussières, il n'était pas exactement sûr à quel moment... les paupières de Milo se fermèrent. Il les rouvrit à l'instant précis où il allait s'endormir. Longtemps après, tandis que la nuit se transformait en début d'aube, elles s'alourdirent de plus en plus. Milo songea à se lever et à sautiller sur place, mais il s'en empêcha à la dernière seconde, car cela aurait été faire quelque chose. Il finit par aller aux toilettes, pour rester éveillé.

Il retourna dans sa chambre et s'assit à nouveau.

Un peu plus tard il vit la pièce se remplir d'une lumière si claire et brillante qu'il avait de la peine à ne pas cligner des yeux.

Comme il ajustait son regard, il découvrit des gens assis devant lui. Il se trouvait dans une immense salle, avec des rangées de fauteuils s'étendant à perte de vue. Les gens étaient parfaitement immobiles sur leur siège. Ils ne faisaient aucun bruit. Ils ne faisaient strictement rien, exactement comme Milo.

De l'endroit où il était assis, Milo ne distinguait que leurs nuques. Il aurait voulu se lever et voir à quoi ils ressemblaient. Mais cela aurait été faire quelque chose. Alors il resta dans la même position.

Puis il réalisa que la foule l'entourait, derrière aussi bien que devant lui. Pour voir les autres gens, il suffisait de tourner la tête. Mais elle refusait de bouger. Et il ne pouvait même pas remuer les yeux.

Soudain, Milo remarqua que la personne devant lui portait un verre à ses lèvres. Le liquide ressemblait étrangement à du thé léger.

Les gens parfaits existent, se dit-il en son for intérieur. Peut-être suis-je déjà l'un d'entre eux? Le temps s'est-il écoulé si vite que je ne m'en suis pas aperçu?

Il but une gorgée de thé et essaya d'être aussi parfait que possible. Puisqu'il ne pouvait bouger, sauf pour boire, il se contenta de scruter la nuque de la personne juste devant lui. Ce n'était pas une nuque très passionnante.

Son nez commençait à le démanger. Mais il se rendit compte qu'il ne pouvait le gratter. Il ne parvenait plus à se tourner les pouces, ni à tambouriner sur sa chaise. De toute évidence, les gens parfaits n'avaient pas ce genre d'activité.

Comme les minutes passaient lentement, Milo se demanda ce qu'ils faisaient, eux. La réponse semblait être : rien.

Milo ne s'était jamais autant ennuyé de sa vie entière ! Il avait l'impression que chaque instant durait une éternité. Et si la perfection n'était pas aussi enviable qu'il l'imaginait ?

La lumière pâlit soudain, et Milo tomba de sa chaise. Les gens parfaits disparurent. Sa chambre retrouva son apparence normale. Il était 9 heures et demie. Dehors il faisait jour.

Milo se sentit mal. Il n'avait pas atteint la perfection, en fin de compte. Il s'était simplement endormi.

IL AVAIT ÉCHOUÉ !

Chapitre 6

Milo était bouleversé. Tous ces efforts pour rien! Il ne serait jamais parfait.

D'abord, il songea à recommencer : le premier jour, le poireau… mais il décida que ce serait inutile. Et il ne servait à rien de prétendre ne pas s'être endormi. Le docteur Arsène K. Merlan devinerait ce qui s'était passé.

Milo prit le livre. Le docteur le regarda d'un air de connivence. Milo ne lui rendit pas son sourire. Il ouvrit le volume.

**FÉLICITATIONS !
TU ES PARFAIT !**

Qu'ajouter ?

À moins que, par quelque heureux hasard, tu n'aies pas réussi à suivre mes instructions. Auquel cas, tourne la page.

Désabusé et triste, Milo tourna la page.

FÉLICITATIONS!
TU N'ES PAS PARFAIT!

Il est ridicule de vouloir être parfait. Mais il est vrai que tout le monde est ridicule de temps à autre, à part les gens parfaits bien entendu.

Sais-tu ce que la perfection signifie? Cela signifie ne pas manger ou boire ou bouger un muscle ou commettre la moindre erreur. Ne jamais rien faire de mal. C'est-à-dire ne jamais rien faire. La perfection est ennuyeuse.

Milo revit soudain la grande salle remplie de gens parfaits. Il se ragaillardit un peu et tourna encore une page.

Ainsi, tu n'es pas parfait... Tant mieux ! Amuse-toi ! Mange des choses qui donnent mauvaise haleine ! Prends-toi les pieds dans tes lacets ! Ris ! Laisse les autres rire de toi !

Les gens parfaits ne font jamais rien de tout cela. Ils se contentent de rester assis, de siroter du thé et de penser à quel point ils sont parfaits. Mais en réalité ils ne sont pas à cent pour cent parfaits. Tu devrais les voir quand ils ont le hoquet !

Milo sourit. Il prit plaisir à imaginer la salle bondée de parfaits hoqueteurs.

Quel ennui ! Qui veut leur ressembler ?

Toi, tu peux boire du jus de cornichon, imiter les singes, danser des danses de Mohican, chanter des chansons bêtes, porter des drôles de chapeaux, être aussi imparfait qu'il te plaît et n'en être pas moins quelqu'un de bien. Les gens bien ne sont pas très nombreux de nos jours. Et ils sont beaucoup plus amusants que les gens parfaits.

Milo se sentait vraiment
beaucoup mieux.
Il tourna la page.

VOILÀ,
TU ES ARRIVÉ
À LA DERNIÈRE PAGE.

En conclusion, je te dis :

• Merci d'avoir fidèlement suivi mes instructions.

• C'est tout jusqu'à la prochaine fois.

• Essaie de devenir quelqu'un de bien.

• Si tu veux toujours être parfait, retourne au début et recommence. Tu mets visiblement du temps à comprendre.

Maintenant, je te quitte. L'une de mes dionées attaque mon cure-dent préféré.

Au revoir.

P.S. : Renseigne-toi sur la parution de mon prochain ouvrage « Comment gagner quatre milliards de dollars d'ici jeudi prochain ! »

Milo referma le livre.
Il aurait juré que le docteur Merlan
lui lançait un clin d'œil.

Il descendit. Son père était dans le salon en train de lire le journal.

– Milo! s'exclama-t-il. Que t'arrive-t-il?

– Je me suis endormi, répondit Milo. Je viens de me réveiller.

– Alors, tu ne vas pas devenir parfait?

Milo sourit.

– Eh non…

– Peut-être est-ce préférable, déclara son père. Je ne sais pas si j'aurais supporté de vivre avec une personne parfaite.

Évitant le patin à roulettes d'Elissa, Milo rit et se dirigea vers la cuisine.

Il se confectionna un énorme sandwich aux cornichons et au salami pour le petit déjeuner.

Il sifflota un air stupide qu'il inventa au fur et à mesure.

Il se décocha une grimace horrible dans la glace.

Il se sentait à nouveau *humain*.

Sa mère le conduisit au terrain de base-ball juste à temps pour le match. Au cours de la partie, il lâcha une balle facile, ne put en attraper une autre qui lui passa entre les jambes et ne marqua aucun point. Ses équipiers étaient furieux contre lui et l'entraîneur paraissait également contrarié.

En temps normal, Milo aurait eu envie de disparaître sous terre, mais, ce jour-là, il prit les choses avec calme.

– Personne n'est parfait, déclara-t-il en haussant les épaules.

Peu après, il réussit un arrêt de volée extraordinaire. Cela ne suffit pas pour permettre à son équipe de gagner, mais il en ressentit un immense plaisir. Si on ne ratait jamais rien, le base-ball serait aussi ennuyeux qu'une tasse de thé.

Cet après-midi-là, Milo rapporta le livre du docteur Merlan à la bibliothèque. Il avait eu son content de perfection.

Quelques semaines plus tard, l'un de ses camarades arriva en classe, un poireau autour du cou. Une personne parfaite lui aurait sans doute donné quelque conseil utile.

Mais pas Milo. Il se contenta de mordre dans son sandwich à l'ail et au fromage-qui-pue, essuya la moutarde qui coulait sur son menton…

et ne dit absolument rien…

TABLE DES MATIÈRES

☁ L'AUTEUR

Stephen Manes est né à Pittsburgh, en Pennsylvanie, mais habite aujourd'hui à Seattle, dans le nord-ouest des États-Unis après avoir passé le plus clair de sa jeunesse du côté de New York.

Il a écrit des dizaines de livres pour les enfants de tous âges. À ses heures perdues, il est aussi journaliste et scénariste.

Le père de l'étrange docteur K. Merlan voue enfin une véritable passion aux ordinateurs et... aux sets de table.

☁ L'ILLUSTRATEUR

Thierry Nouveau est né près de Tours en 1970. Il travaille dans le domaine publicitaire et télévisuel, puis collabore avec de nombreux éditeurs de livres pour la jeunesse.

Ce passionné de dessins animés et de B.D. aime par-dessus tout découvrir une histoire singulière, un monde original et des images... nouvelles.

DANS LA MÊME COLLECTION

à partir de huit ans

L'amour c'est tout bête, G. Fresse.
B comme Amour, N. Denes.
Une baleine sur la plage de Saint-Malo,
R. Judenne.
Le blog des animaux, M. Cantin.
Une certaine Clara Parker, S. Valente.
La chambre des chats, M. Freeman.
Mon chat mes copines et moi, M. Cantin.
Chien riche, chien pauvre, K. Cave.
Mon chien va à l'école, C. Cahour.
Le club des animaux, M. Cantin.
Comment devenir parfait en trois jours,
S. Manes.
Comment je suis devenue grande,
B. Hammer.
Confidences entre filles, F. Hinckel.
Les disparus de Fort Boyard, A. Surget.
La drôle de vie d'Archie, A. Laroche.
L'été des jambes cassées, C. Le Floch.
Expert en excuses, K. Tayleur.
Expert en mensonges, K. Tayleur.
Le fils des loups, A. Surget.
Fils de sorcières, P. Bottero.

La grande évasion des cochons, L. Moller.
L'hiver des gros ventres, C. Le Floch.
Le jour où j'ai raté le bus, J.-L. Luciani.
Mon journal de guerre, Y. Mauffret.
La lettre mystérieuse, L. Major.
La maison à cinq étages, G. McCaughrean.
Où sont les animaux?, D. Nielandt.
La petite fille qui vivait dans une grotte,
A. Eaton.
La plus grosse bêtise, É. Brisou-Pellen.
Ma première fête surprise, N. Charles.
Ma première soirée pyjama, N. Charles.
Mon premier week-end sans parents,
N. Charles.
Le prince de mes rêves, R. Flynn.
Princesse en danger, P. Bottero.
Le ranch des mustangs : Cheval de feu,
S. Siamon.
Le ranch des mustangs : Cheval de rêve,
S. Siamon.
Au royaume des dinosaures, R. Judenne.
Une sorcière à la maison, V. Petit.
Un vampire à l'école, Y.-M. Clément.
Vive les punitions!, G. Jimenes.
Le vrai prince Thibault, É. Brisou-Pellen.
La vraie princesse Aurore, É. Brisou-Pellen.
Zanzibar toi-même!, C. Couprie / G. Magro.

Retrouvez la collection
Rageot Romans
sur le site www.rageot.fr

Achevé d'imprimer en France en mars 2009
par CPI - Hérissey à Évreux.
Dépôt légal : avril 2009
N° d'édition : 4919 - 06
N° d'impression : 111117